# Contents
## Table des matières

# The town of Beauport   *La ville de Beauport*

Beauport is beside the sea. All the people in this book live and work here.
*Beauport est au bord de la mer. Tous les gens dans ce livre y habitent et y travaillent.*

On these two pages, you can see where the people of Beauport work. You can also see the people who run the town.
*Sur ces deux pages, tu peux voir où travaillent les gens de Beauport. Tu peux aussi voir les gens qui s'occupent de la ville.*

Beauport flag
le drapeau de Beauport

Beauport stamp
le timbre de Beauport

airport
l'aéroport

TV stu
le stud
télévi

mayor's house
la maison du maire

hospital
l'hôpital

town hall
la mairie

factory
l'usine

school
l'école

doctor
le docteur

Hotel Blitz
L'hôtel Blitz

post offic
la post

L
T

RS
E DO

Illus                                    Cartwright
Illus

Bilingual text                           Kathy Gemmell
Texte bilingue                           Lorraine Sharp
                                         Caroline Young

Series editor
Directrice de                            Nicole Irving
la collection

Designed by
Conception                               Roger Priddy

Original text
Texte original                           Anne Civardi

Beauport wood
le bois de Beauport

farm
la ferme

vet
le vétérinaire

church
l'église

garage
la station-
service

newspaper
le journal

bakery
la boulangerie

fire station
la caserne de
pompiers

theatre
théâtre

police station
le commissariat

market
le marché

bank
banque

# Who are they?   *Qui sont-ils?*

Here are the councillors and the mayor.
*Voici les conseillers et le maire.*

mayor   *le maire*     councillors     *les conseillers*

They meet in the town hall.
*Ils se réunissent à la mairie.*

firemen
*les pompiers*

judge        police      ambulance officers
*le juge*    *la police*    *les ambulanciers*

Here are the firemen, police officers, ambulance officers and the judge.
*Voici les policiers, les pompiers, les ambulanciers et le juge.*

dustman        street sweeper        sewerman
*l'éboueur*     *le balayeur*        *l'égoutier*

Here are some more of Beauport's workers.
*Voici d'autres employés de Beauport.*

engineers        postwoman        gardener
*les techniciens*    *la factrice*    *le jardinier*

5

# The fishermen  *Les pêcheurs*

The fishing boats leave Beauport early each morning.
*Les bateaux de pêche quittent Beauport de bonne heure chaque matin.*

The fishermen work very hard.
*Les pêcheurs travaillent très dur.*

Simon puts on waterproof clothes.
*Simon enfile des vêtements imperméables.*

Simon

Paul

Paul talks to Captain Sardine about the weather.
*Paul parle du temps avec le capitaine Sardine.*

This machine helps to find fish.
*Cet appareil aide à repérer des poissons.*

At sea
*En mer*

The boat stops near a shoal of fish.
*Le bateau s'arrête près d'un banc de poissons.*

net
*le filet*

# The fish market
*Le marché aux poissons*

Paul wins the cup for the biggest lobster.
*Paul remporte la coupe du plus gros homard.*

cat
*le chat*

lifebelt
*la bouée de sauvetage*

crab
*le crabe*

ice
la glace

The fish are put in boxes.
*Le poisson est mis en caisse.*

The boat returns to Beauport.
*Le bateau rentre à Beauport.*

Simon washes the boat.
*Simon lave le bateau.*

Lobster fishing   *La pêche au homard*

**1**

**2**

**3**

Paul catches a lobster.
*Paul attrape un homard.*

It is a very big lobster.
*C'est un très gros homard.*

He brings it back to sell.
*Il le rapporte pour le vendre.*

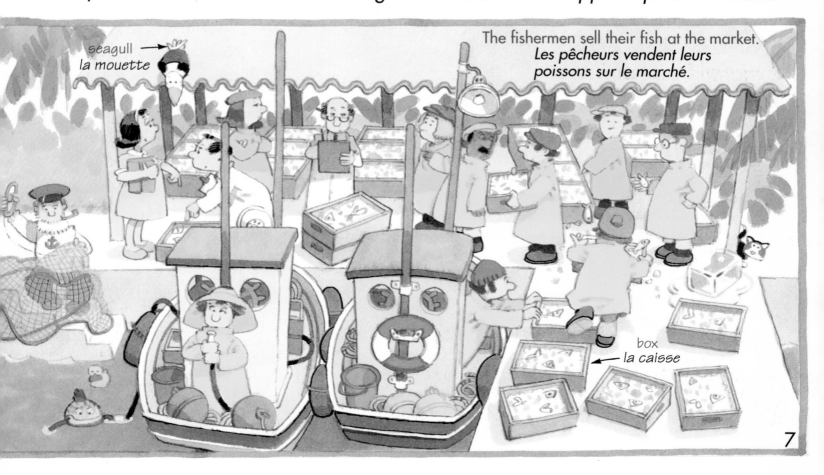

seagull
la mouette

The fishermen sell their fish at the market.
*Les pêcheurs vendent leurs poissons sur le marché.*

box
la caisse

7

# The builder *L'entrepreneur*

Max, the builder, is building a new house for the mayor. Eight people work for him. Each person has a different job to do.

*Max, l'entrepreneur, construit une nouvelle maison pour le maire. Huit personnes travaillent pour lui. Chaque personne a un travail différent à faire.*

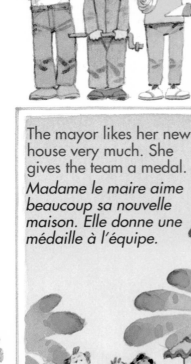

builder *l'entrepreneur*

plumber *le plombier*

electrician *l'électricien*

bricklayer *le maçon*

carpenter *le menuisier*

decorator *le peintre*

tiler *le couvreur*

plasterer *le plâtrier*

labourer *l'ouvrier*

The mayor likes her new house very much. She gives the team a medal.

*Madame le maire aime beaucoup sa nouvelle maison. Elle donne une médaille à l'équipe.*

swimming pool
*la piscine*

## The new house
## *La nouvelle maison*

**1**

This is where Max will build the house.

*C'est ici que Max va construire la maison.*

**2**

An architect draws the plans.

*Un architecte dessine les plans.*

**3**

The builder buys all the materials.

*L'entrepreneur achète tous les matériaux.*

**4**

A digger prepares the ground.

*Une pelleteuse prépare le sol.*

12 A gardener plants trees and flowers.

*Un jardinier plante des arbres et des fleurs.*

11 The decorator paints the inside of the house.

*Le peintre fait les peintures intérieures.*

10 The tiler puts tiles on the roof.

*Le couvreur pose des tuiles sur le toit.*

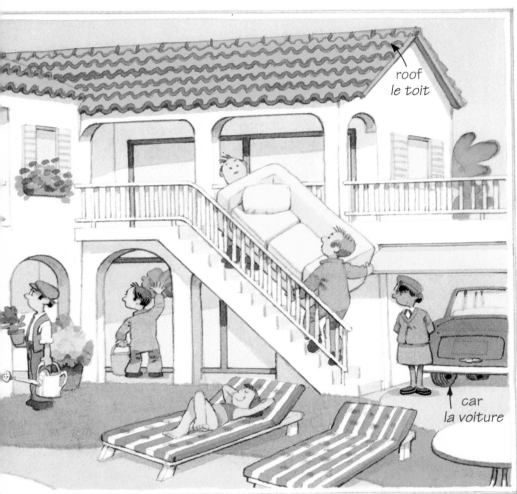

roof
*le toit*

car
*la voiture*

9 The plasterer covers the walls with plaster.

*Le plâtrier recouvre les murs de plâtre.*

8 The electrician installs the electricity.

*L'électricien fait l'installation électrique.*

5 The bricklayer builds the walls.

*Le maçon construit les murs.*

6 The carpenter makes the doors and windows.

*Le menuisier fait les portes et les fenêtres.*

7 The plumber puts in the pipes.

*Le plombier installe les tuyaux.*

# The hotel manager  *L'hôtelière*

Here is the Hotel Blitz. The hotel manager is very busy today.
*Voici l'hôtel Blitz. L'hôtelière est très occupée aujourd'hui.*

She is expecting the famous rock group, Sarah and the Stars, to arrive.
*Elle attend le célèbre groupe rock, Sarah et les Stars.*

The hotel staff get Sarah's room ready.
*Le personnel prépare la chambre de Sarah.*

The room is full of flowers.
*La chambre est pleine de fleurs.*

The bathroom is ready.
*La salle de bain est prête.*

Sarah will have dinner in the hotel restaurant.
*Sarah va dîner au restaurant de l'hôtel.*

The barman mixes the drinks.
*Le barman prépare les boissons.*

Everything is ready.
*Tout est prêt.*

The chef has made lobster soup.
*Le chef a préparé une soupe de homard.*

# The Stars arrive  *Les Stars arrivent*

chauffeur
*le chauffeur*

The manager welcomes her guests.
*L'hôtelière accueille ses clients.*

Lots of fans are waiting.
*Beaucoup de fans attendent.*

## In the kitchen  *À la cuisine*

Everyone is very busy.
*Tout le monde est très occupé.*

The chef is in a bad mood.
*Le chef est de mauvaise humeur.*

## Dinner  *Le dîner*

Dinner is delicious. Everyone enjoys it.
*Le dîner est délicieux. Tout le monde se régale.*

Menu

## Staff *Le personnel*

hotel manager
*l'hôtelière*

personal assistant
*la secrétaire*

valets
*les valets*

chambermaids
*les femmes de chambre*

receptionist
*la réceptionniste*

doormen  *les portiers*

barman
*le barman*

head waiter
*le maître d'hôtel*

chef  *le chef*

underchefs  *les sous-chefs*

waiters and waitresses
*les serveurs et les serveuses*

11

# The teacher  *L'instituteur*

There are six teachers at Beauport school.
*Il y a six instituteurs à l'école de Beauport.*

One of the teachers is called Paul.
*Un des instituteurs s'appelle Paul.*

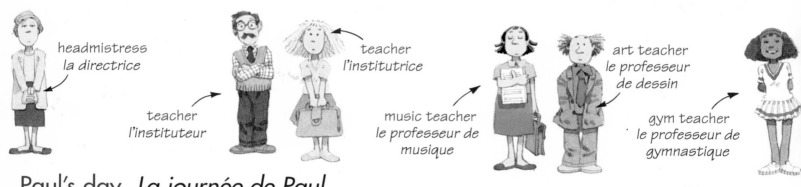

headmistress
*la directrice*

teacher
*l'instituteur*

teacher
*l'institutrice*

music teacher
*le professeur de musique*

art teacher
*le professeur de dessin*

gym teacher
*le professeur de gymnastique*

## Paul's day  *La journée de Paul*

Morning
*Le matin*

Paul takes the register.
*Paul prend le registre d'appel.*

His class is practising for the school play.
*Sa classe répète pour la pièce de l'école.*

Lunchtime
*Le déjeuner*

Paul has lunch with his pupils.
*Paul déjeune avec ses élèves.*

Afternoon  *L'après-midi*

Everyone likes sport.
*Tout le monde aime le sport.*

Paul has a rest after the lessons.
*Paul se repose après les cours.*

Evening
*Le soir*

At home, he marks some exercise books.
*À la maison, il corrige quelques cahiers.*

# At school   À l'école

This is a music lesson.
*Voici un cours de musique.*

This is an art lesson.
*Voici un cours de dessin.*

frog
*la grenouille*

This is a gym class.
*Voici un cours de gymnastique.*

library
*la bibliothèque*

caretaker
*le concierge*

One pupil is late.
*Une élève est en retard.*

secretary
*la secrétaire*

Here is the headmistress's office.
*Voici le bureau de la directrice.*

13

# The baker  *Le boulanger*

This is the baker. He runs the bakery in Beauport.

*Voici le boulanger. Il tient la boulangerie à Beauport.*

This girl is an apprentice baker.

*Cette fille est apprentie boulangère.*

flour
*la farine*

Samuel is a pastry cook.

*Samuel est pâtissier.*

Sophie decorates cakes.

*Sophie décore les gâteaux.*

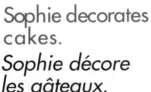
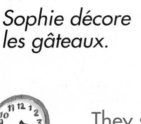
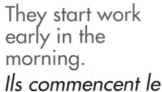

They start work early in the morning.

*Ils commencent le travail tôt le matin.*

## Pastries
### *Les pâtisseries*

Samuel is making delicious pastries.

*Samuel fait des pâtisseries délicieuses.*

## Doughnuts
### *Les beignets*

The doughnuts are cooked in hot oil.

*Les beignets sont cuits dans de l'huile chaude.*

bread mixing machine
le pétrin

dough
la pâte

bread
le pain

## Bread  *Le pain*

The apprentice takes dough from a big bowl.
*L'apprentie prend de la pâte dans une grande cuve.*

She divides it and weighs the pieces.
*Elle la partage et pèse les morceaux.*

She shapes the pieces.
*Elle façonne les morceaux.*

The dough rises in a special oven.
*La pâte lève dans un four spécial.*

Last of all, the bread is baked.
*Pour finir, le pain est cuit.*

## Cakes  *Les gâteaux*

Sophie is decorating a wedding cake.
*Sophie décore un gâteau de mariage.*

## The bakery  *La boulangerie*

People come to the bakery to buy bread and cakes.
*Les gens viennent à la boulangerie pour acheter du pain et des gâteaux.*

15

# The farmer   *La fermière*

This farmer has a farm near Beauport. Six people work with her.
*Cette fermière a une ferme près de Beauport. Six personnes travaillent avec elle.*

## The farm workers
*Les employés de la ferme*

farm manager
*le régisseur*

Anne

Louis

Robert

Alice

David

## On the farm
*À la ferme*

field
*le champ*

Louis looks after the cows.
*Louis s'occupe des vaches.*

cow
*la vache*

dog
*le chien*

farm-house
*la ferme*

The farmer wants to buy five cows. She asks the farm manager about it.
*La fermière veut acheter cinq vaches. Elle en parle avec le régisseur.*

## Hens   *Les poules*

hen *la poule*

eggs
*les oeufs*

Alice collects the eggs each day.
*Alice ramasse les oeufs chaque jour.*

David drives the tractor.
*David conduit le tracteur.*

tractor
*le tracteur*

milk tanker
*la citerne à lait*

horse
*le cheval*

cat
*le chat*

Your turn,
Bella!
*À toi, Bella!*

duck
*le canard*

Anne milks the cows twice a day.
*Anne trait les vaches deux fois par jour.*

Pigs *Les cochons*

vet
*le vétérinaire*

pig
*le cochon*

sow
*la truie*

piglet
*le cochonnet*

Robert looks after the pigs.
*Robert s'occupe des cochons.*

He calls the vet if they are ill.
*Il appelle le vétérinaire s'ils sont malades.*

# The garage owner  *Le garagiste*

Thomas is the garage owner in Beauport. His garage sells new cars.

*Thomas est garagiste à Beauport. Dans son garage, il vend des voitures neuves.*

There is also a workshop and a petrol station at the garage.

*Il y a également un atelier et une station-service au garage.*

## The storeroom
### *Le magasin*

Spare parts are kept here.

*Voici où se rangent les pièces auto.*

## The paintshop
### *L'atelier de peinture*

Workers spray cars with paint.

*Des ouvriers peignent les voitures au pistolet.*

## The workshop  *L'atelier*

This mechanic is repairing a racing car.

*Ce mécanicien répare une voiture de course.*

garage owner
*le garagiste*

service manager
*la gérante*

secretary
*le secrétaire*

sales staff
*le personnel de vente*

mechanics
*les mécaniciens*

Agreed! D'accord!

Thomas talks to important customers.
*Thomas parle aux clients importants.*

The service manager organizes the workshop.
*La gérante organise le travail de l'atelier.*

The secretary types bills.
*Le secrétaire tape les factures.*

The showroom *Le showroom*

The sales staff work in the showroom. They sell cars.
*Le personnel de vente travaille dans le showroom. Ils vendent des voitures.*

The farmer is buying a red car.
*La fermière achète une voiture rouge.*

receptionist
*la réceptionniste*

Petrol station *La station-service*

petrol pumps
*les pompes à essence*

stores manager
*le chef de magasin*

paintshop workers
*les ouvriers de l'atelier de peinture*

receptionist
*la réceptionniste*

car washers
*les laveurs de voitures*

petrol pump attendant
*le pompiste*

cashier
*la caissière*

19

# The reporter *Le journaliste*

Beauport has a newspaper. Four reporters and a photographer work there.
*Beauport a un journal. Quatre journalistes et un photographe y travaillent.*

The news reporter writes about Beauport. The others write about foreign news, fashion and sport.
*Le journaliste d'informations écrit des articles sur Beauport. Les autres écrivent des articles sur les nouvelles de l'étranger, la mode et le sport.*

news reporter
*le journaliste d'informations*

foreign reporter
*la correspondante à l'étranger*

fashion reporter
*la journaliste de mode*

sports reporter
*le journaliste sportif*

photographer
*le photographe*

## The editorial staff *La rédaction*

editor-in-chief
*le rédacteur en chef*

The editor-in-chief reads all the stories.
*Le rédacteur en chef lit tous les articles.*

He chooses the ones he wants to print.
*Il choisit ceux qu'il veut imprimer.*

## Fashion *La mode*

The fashion reporter describes a fashion show.
*La journaliste de mode décrit un défilé de mode.*

## Abroad *À l'étranger*

The foreign reporter goes to see a stranded whale.
*Le reporter va voir une baleine échouée.*

## Sport *Le sport*

The sports story is about a racing driver.
*L'article parle d'un pilote de course.*

# The wedding   *Le mariage*

Today, the hotel manager and Paul, the teacher, are getting married.
*Aujourd'hui, l'hôtelière et Paul, l'instituteur, se marient.*

The news reporter and the photographer are at the wedding.
*Le journaliste d'informations et le photographe sont au mariage.*

## Mistakes   *Les fautes*

A proof reader corrects the mistakes.
*Une correctrice corrige les fautes.*

## The computer   *L'ordinateur*

A computer puts the stories into columns.
*Un ordinateur transcrit les articles en colonnes.*

## The page   *La page*

A layout artist fits the columns onto pages.
*Un maquettiste fait la mise en pages.*

## Printing   *Le tirage*

The papers are printed each evening. Trucks deliver them around the town.
*Les journaux sont imprimés tous les soirs. Des camions les livrent dans la ville.*

## Front page   *La une*

The wedding story is on the front page.
*Le mariage fait la une.*

# The pilot  *Le pilote*

Beauport has an airport.
*Beauport a un aéroport.*

Planes go to many different places from the airport.

*Les avions partent de l'aéroport pour de nombreuses destinations.*

### The crew  *L'équipage*

pilot
*le pilote*

co-pilot
*le copilote*

flight engineer
*le mécanicien de bord*

Here is the crew.
*Voici l'équipage.*

### The weather
### *Le temps*

The pilot checks the weather.

*Le pilote se renseigne sur la météo.*

### The flight route
### *Le plan de vol*

The crew plan the flight route.

*L'équipage prépare son plan de vol.*

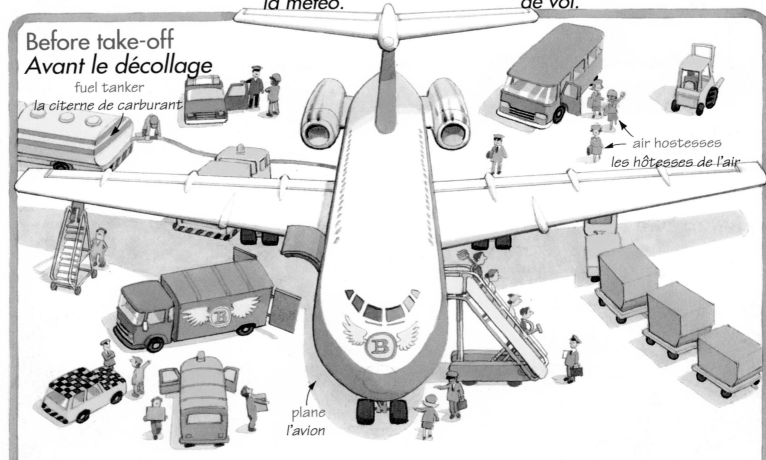

### Before take-off
### *Avant le décollage*

fuel tanker
*la citerne de carburant*

air hostesses
*les hôtesses de l'air*

plane
*l'avion*

The luggage is brought on board first.
*Les bagages sont amenés à bord en premier.*

Engineers fill the fuel-tanks.
*Des mécaniciens remplissent les réservoirs de carburant.*

The flight deck  *Le poste de pilotage*    Welcome aboard!  *Bienvenue à bord!*

The crew check the instruments on the flight deck.
*L'équipage vérifie les instruments du poste de pilotage.*

Sarah and the Stars are leaving on this flight.
*Sarah et les Stars partent sur ce vol.*

Take-off
*Le décollage*

airport control tower
*la tour de contrôle*

The runway is clear.
*La piste est libre.*

The plane takes off.
*L'avion décolle.*

The flight  *Le vol*

The pilot tells passengers about the flight.
*Le pilote informe les passagers sur le vol.*

The teacher and his new wife are on board.
*L'instituteur et sa nouvelle femme sont à bord.*

It is dark when the plane lands.
*Il fait nuit quand l'avion atterrit.*

23

# The firemen
## Les pompiers

The station commander runs the fire brigade.

*Le commandant de la caserne dirige la brigade de pompiers.*

His second-in-command helps him.

*Son commandant en second l'aide.*

There are twenty firemen and women in the brigade.

*Il y a vingt pompiers dans la brigade.*

There are always some firemen on duty.

*Il y a toujours des pompiers de garde.*

## Exercises   *L'exercice*

Firemen and women do exercises to keep fit.

*Les pompiers font de l'exercice pour être en forme.*

## Help!   *Au secours!*

The newspaper office is burning.

*Le bureau du journal brûle.*

The alarm rings.

*La sirène d'alerte sonne.*

The firemen must hurry.

*Les pompiers doivent se dépêcher.*

switchboard
le standard

It is a big fire.

*C'est un gros incendie.*

fire engine
la voiture de pompiers

The firemen change clothes on the way.

*Les pompiers se changent en route.*

# The fire  *L'incendie*

The fire engine reaches the scene of the fire very quickly.

*La voiture de pompiers arrive très rapidement sur les lieux.*

The firemen must put out the fire and rescue the newspaper staff.

*Les pompiers doivent éteindre l'incendie et porter secours au personnel du journal.*

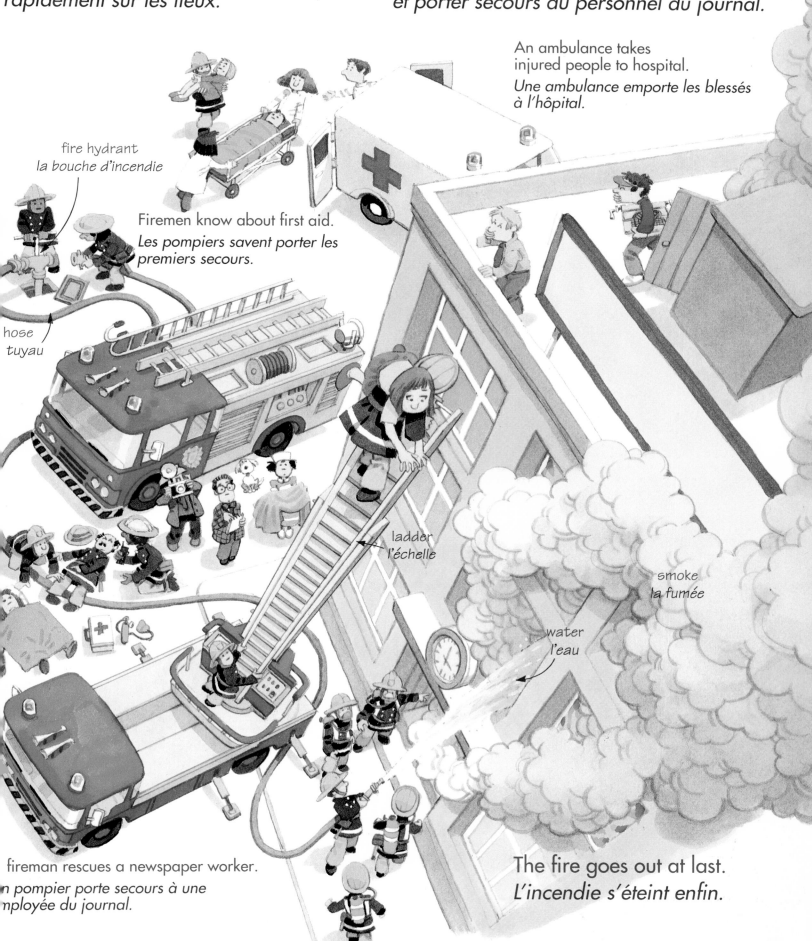

An ambulance takes injured people to hospital.

*Une ambulance emporte les blessés à l'hôpital.*

fire hydrant
*la bouche d'incendie*

Firemen know about first aid.

*Les pompiers savent porter les premiers secours.*

hose
*tuyau*

ladder
*l'échelle*

smoke
*la fumée*

water
*l'eau*

fireman rescues a newspaper worker.

*n pompier porte secours à une mployée du journal.*

The fire goes out at last.

*L'incendie s'éteint enfin.*

# The doctor
## *La doctoresse*

Beauport's doctor works in her surgery and in the hospital.

*La doctoresse de Beauport travaille à son cabinet et à l'hôpital.*

In emergencies, she must get to the hospital quickly.

*En cas d'urgence, elle doit vite se rendre à l'hôpital.*

### The surgery  *Le cabinet*

The hospital rings. An injured fireman has just arrived.

*L'hôpital appelle. Un pompier blessé vient d'arriver.*

## Preparation
### *La préparation*

The doctor gets changed and washed.

*La doctoresse se change et se lave.*

## The operation
### *L'opération*

Relax! *Détendez-vous!*

A second injection makes the fireman go to sleep.

*Une deuxième piqûre fait dormir le pompier.*

## The maternity ward
### *Le service maternité*

One woman has had triplets.

*Une femme a eu des triplés.*

The parents are proud.
*Les parents sont fiers.*

The doctor talks to the mothers.
*La doctoresse parle avec les mères.*

photographer
*le photographe*

bed
*le lit*

cot
*le berceau*

26

An x-ray
*Une radio*

An injection
*Une piqûre*

He has an x-ray.
*On lui fait une radio.*

The doctor must operate.
*La doctoresse doit opérer.*

He has an injection.
*On lui fait une piqûre.*

Later on  *Plus tard*

The doctor mends the fireman's broken leg.
*La doctoresse soigne la jambe cassée du pompier.*

The fireman feels better.
*Le pompier se sent mieux.*

# The television producer *La productrice de télévision*

Marie is a television producer. She makes drama programmes.

*Marie est productrice de télévision. Elle prépare des dramatiques.*

The director tells everyone what to do.

*Le réalisateur dit à chacun ce qu'il doit faire.*

Two assistants help the director.

*Deux assistants aident le réalisateur.*

Here is the set designer.

*Voici le décorateur.*

These are the actors.

*Voici les acteurs.*

## A programme *Une émission*

Marie hires the actors and crew.
*Marie engage les acteurs et l'équipe.*

1

A script writer writes the story.

*Un scénariste écrit l'histoire.*

2

The actors rehearse each scene.

*Les acteurs répètent chaqu[e] scène.*

3

The set designer makes a model of the set.

*Le décorateur fait une maquette du décor.*

4

Marie orders the furniture.

*Marie commande les meubles.*

5

This actress is trying on her costume.

*Cette actrice essaie son costume.*

6

This actor has to wear a wig.

*Cet acteur doit porter une perruque.*

# On the set
## Sur le plateau

All the lights and cameras are in place.
*L'éclairage et les caméras sont en place.*

Everything is ready. Filming begins.
*Tout est prêt. Le tournage commence.*

floodlight
*le projecteur*

Oh, Annette!
*Oh, Annette !*

A microphone records the actors speaking.
*Un micro enregistre le dialogue des acteurs.*

cameraman
*le cameraman*

sound control room
*la régie son*

director
*le réalisateur*

control room
*la régie contrôle*

vision control room
*la régie image*

Everyone works together.
*Tout le monde travaille ensemble.*

They want to make a good programme.
*Ils veulent faire une bonne émission.*

# The police  *La police*

The police officers in Beauport have a lot to do.
*Les agents de police à Beauport ont beaucoup à faire.*

Today they are looking for a thief. He has stolen a statue from the park.
*Aujourd'hui ils cherchent un voleur.*
*Il a volé une statue dans le jardin public.*

## In the park
## *Dans le jardin public*

A man and a boy saw the thief.
*Un monsieur et un garçon ont vu le voleur.*

police car
*la voiture de police*

motorbike
*la moto*

A policeman takes notes.
*Un policier prend des notes.*

The thief left fingerprints.
*Le voleur a laissé des empreintes.*

## The thief is caught  *Le voleur est pris*

An officer studies the fingerprints.
*Une femme-policier étudie les empreintes.*

She interviews the boy.
*Elle interroge le garçon.*

He tells her what the thief looks like.
*Il lui dit comment était le voleur.*

# Other police jobs  *Autres fonctions de la police*

harbour police
*la police maritime*

Police rescue people.
*La police porte secours aux gens.*

police dog
*le chien policier*

Dogs help the police.
*Des chiens aident la police.*

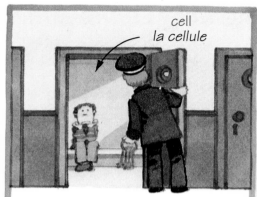

cell
*la cellule*

An officer locks up a thief.
*Un policier enferme un voleur.*

horse
*le cheval*

The mayor is crying. It is a statue of her that was stolen.
*Madame le maire pleure. C'est une statue d'elle qu'on a volée.*

People describe what they saw.
*Les gens décrivent ce qu'ils ont vu.*

A woman has fainted.
*Une femme s'est évanouie.*

She spots the thief in a file.
*Elle repère le voleur dans un dossier.*

She goes to his home.
*Elle va chez lui.*

She arrests him.
*Elle l'arrête.*

The thief is locked up.
*Le voleur est enfermé.*

# The vet  *Le vétérinaire*

The vet looks after the animals in Beauport.
*Le vétérinaire s'occupe des animaux à Beauport.*

He sees pets in his surgery. He also visits farm animals.
*Il voit les animaux domestiques à son cabinet et il visite les animaux de ferme.*

Sometimes the vet visits sick animals at night.
*Parfois le vétérinaire visite les animaux malades la nuit.*

A veterinary nurse works with him.
*Une assistante vétérinaire travaille avec lui.*

The mayor's rabbit is not well.
*Le lapin du maire ne va pas bien.*

## The waiting room
*La salle d'attente*

horse *le cheval*

cat *le chat*

dog *le chien*

This tortoise is ill.
*Cette tortue est malade.*

This snake has tummy ache.
*Ce serpent a mal au ventre.*

This dog has fleas.
*Ce chien a des puces.*

The vet is very busy this morning.
*Le vétérinaire est très occupé ce matin.*

He knows how to treat any animal.
*Il sait soigner n'importe quel animal.*

## The surgery  *Le cabinet*

The vet examines the rabbit.
*Le vétérinaire ausculte le lapin.*

He gives it an injection.
*Il lui fait une piqûre.*

## The farm  *La ferme*

The vet looks at the horse's hooves.
*Le vétérinaire regarde les sabots du cheval.*

The horse needs new shoes.
*Le cheval a besoin de nouveaux fers.*

The vet goes back to his surgery.
*Le vétérinaire rentre à son cabinet.*

He cuts a parrot's claws.
*Il coupe les griffes d'un perroquet.*

He writes down all he has done today.
*Il écrit tout ce qu'il a fait dans la journée.*

# The ballet dancers  *Les danseurs de ballet*

## Ballet class
*Le cours de ballet*

Claire and Charles are ballet dancers. Tonight, they will dance in a ballet at Beauport theatre.

*Claire et Charles sont danseurs de ballet. Ce soir, ils vont danser dans un ballet au théâtre de Beauport.*

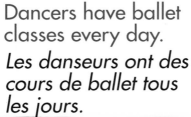

barre
la barre

Dancers have ballet classes every day.

*Les danseurs ont des cours de ballet tous les jours.*

They use a barre to do their exercises.

*Ils se servent d'une barre pour faire leurs exercices.*

## A rehearsal
*Une répétition*

orchestra
l'orchestre

choreographer
le chorégraphe

Everyone is rehearsing for tonight's ballet.

*Tout le monde répète pour le ballet de ce soir.*

The choreographer created the ballet.
*Le chorégraphe a créé le ballet.*

The stars
*Les étoiles*

Dancers also do jumps and steps.
*Les danseurs font aussi des sauts et des pas.*

Claire and Charles are the stars.
*Claire et Charles sont danseurs étoiles.*

Backstage  *Dans les coulisses*

The ballet *Le ballet*

Five minutes!
*Cinq minutes!*

The ballet begins in five minutes. Everyone is very excited.

*Le ballet commence dans cinq minutes. Tout le monde est très excité.*

The ballet was wonderful. The audience throw flowers onto the stage.

*Le ballet a été merveilleux. Le public jette des fleurs sur la scène.*

# The Beauport festival   *Le festival de Beauport*

There is a festival in Beauport on the mayor's birthday.

*Il y a un festival à Beauport le jour de l'anniversaire du maire.*

There are competitions, music and lots of things to eat.

*Il y a des concours, de la musique et beaucoup de choses à manger.*

The chocolate cake has won first prize.

*Le gâteau au chocolat a gagné le premier prix.*

The ballet stars judge the dancers.
*Les étoiles du ballet jugent les danseurs.*

Sandwiches     Cakes
Sandwichs      Gâteaux

Happy birthday
*Joyeux anniversaire*

Cake competition
*Concours de gâteaux*

Ice cream
*Glaces*

A band plays for the mayor.
*Un groupe joue pour le maire.*

Fish
*Poissons*

ausages
aucisses

A TV crew are filming Sarah and the Stars.
*Une équipe de télé filme Sarah et les Stars.*

appy birthday
ux anniversaire

Sarah and the Stars
*Sarah et les Stars*

Fruit  Fruits

Pastries
*Pâtisseries*

Raffle
*Loterie*

teddy bear
*le nounours*

tug-of-war
*tire à la corde*

Finish
*Arrivée*

Best friend
*Le meilleur ami*

There are all sorts of races.
*Il y a toutes sortes de courses.*

37

# Word list *Lexique*

Here is a list of useful words from this book. The list is in two parts: an English to French list and a French to English list.

French naming words, like *le pompier* (fireman) and *la farine* (flour), are all shown with *le, la, l'* or *les* before them. These all mean "the". It is always better to learn words with their *le, la, l'* or *les*.

For the names of people's jobs, French sometimes has two words, one for a man, the other for a woman. In this list you will find both, with the man's word first.

Where you see *le/la*, French uses the same word, but with *le* for a man and *la* for a woman.

*Ce lexique contient les mots les plus utiles de ce livre. Il se divise en deux: une liste de vocabulaire anglais-français et une liste français-anglais.*

*Tu verras qu'il n'y a pas d'article devant les noms anglais, comme flour (la farine) et fireman (le pompier). C'est parce qu'en anglais, les articles "le, la, l', les" se disent tous the.*

## English-French *Anglais-français*

| | | | | | |
|---|---|---|---|---|---|
| actor | l'acteur | clothes | les vêtements | flower | la fleur |
| actress | l'actrice | co-pilot | le copilote | friend | l'ami, l'amie |
| air hostess | l'hôtesse de l'air | computer | l'ordinateur | fruit | les fruits |
| airport | l'aéroport | councillor | le conseiller, | | |
| ambulance | l'ambulancier, | | la conseillère | garage | le garage |
| officer | l'ambulancière | cow | la vache | garage owner | le garagiste |
| animal | l'animal | crew | l'équipage | gardener | le jardinier, la jardinière |
| apprentice | l'apprenti, l'apprentie | customer | le client, la cliente | girl | la fille |
| architect | l'architecte | | | | |
| art | le dessin | dancer | le danseur, la danseuse | head waiter | le maître d'hôtel |
| assistant | l'assistant, l'assistante | day | le jour | headmaster | le directeur |
| audience | le public | decorator | le décorateur, | headmistress | la directrice |
| | | | la décoratrice | hen | la poule |
| baby | le bébé | dinner | le dîner | horse | le cheval |
| baker | le boulanger, | director | le réalisateur, | hospital | l'hôpital |
| | la boulangère | | la réalisatrice | hotel | l'hôtel |
| bakery | la boulangerie | doctor | le docteur, la doctoresse | hotel manager | l'hôtelier, l'hôtelière |
| ballet | le ballet | dog | le chien | house | la maison |
| bank | la banque | door | la porte | | |
| barman | le barman | doorman | le portier | ice, ice cream | la glace |
| bathroom | la salle de bain | drink | la boisson | | |
| bed | le lit | duck | le canard | job | le métier |
| birthday | l'anniversaire | dustman | l'éboueur | judge | le juge |
| boat | le bateau | | | | |
| book | le livre | editor | le rédacteur, | kitchen | la cuisine |
| boy | le garçon | | la rédactrice | | |
| bread | le pain | editorial staff | la rédaction | labourer | l'ouvrier |
| bricklayer | le maçon | egg | l'oeuf | lesson | le cours |
| builder | l'entrepreneur | electrician | l'électricien | library | la bibliothèque |
| | | exercise book | le cahier | luggage | les bagages |
| cake | le gâteau | | | lunch | le déjeuner |
| cameraman | le cameraman | factory | l'usine | | |
| car | la voiture | farm | la ferme | machine | l'appareil |
| caretaker | le/la concierge | farm manager | le régisseur | man | l'homme |
| carpenter | le menuisier | farmer | le fermier, la fermière | market | le marché |
| cashier | le caissier, la caissière | fashion | la mode | mayor | le maire |
| cat | le chat | field | le champ | mechanic | le mécanicien |
| chambermaid | la femme de chambre | fire | l'incendie | menu | le menu |
| chauffeur | le chauffeur | fire brigade | la brigade de pompiers | mother | la mère |
| chef | le chef | fire station | la caserne de pompiers | music | la musique |
| child | l'enfant | fireman | le pompier | | |
| chocolate | le chocolat | fish | le poisson | net | le filet |
| choreographer | le/la chorégraphe | fisherman | le pêcheur | newspaper | le journal |
| church | l'église | flight engineer | le mécanicien de bord | night | la nuit |
| class | le cours | flour | la farine | nurse | l'infirmier, l'infirmière |

|  |  |
|---|---|
| office | le bureau |
| orchestra | l'orchestre |
| paint | la peinture |
| park | le jardin public |
| parrot | le perroquet |
| pastry | la pâtisserie |
| pastry cook | le pâtissier, la pâtissière |
| people | les gens |
| person | la personne |
| pet | l'animal domestique |
| petrol pump | la pompe à essence |
| petrol station | la station-service |
| photographer | le/la photographe |
| pig | le cochon |
| pilot | le pilote |
| plane | l'avion |
| plasterer | le plâtrier |
| plumber | le plombier |
| police | la police |
| police dog | le chien policier |
| police officer | l'agent de police |
| police station | le commissariat |
| policeman | le policier |
| policewoman | la femme-policier |
| postman | le facteur |
| postwoman | la factrice |
| prize | le prix |
| producer | le producteur, la productrice |
| programme | l'émission |
| proof reader | le correcteur, la correctrice |
| pump attendant | le pompiste |
| pupil | l'élève |
| rabbit | le lapin |
| race | la course |
| racing driver | le pilote de course |
| receptionist | le/la réceptionniste |
| register | le registre d'appel |
| reporter | le/la journaliste |
| restaurant | le restaurant |
| roof | le toit |
| room | la pièce |
| sandwich | le sandwich |
| sausage | la saucisse |
| school | l'école |
| script writer | le/la scénariste |
| sea | la mer |
| secretary | le/la secrétaire |
| set designer | le décorateur, la décoratrice |
| sewerman | l'égoutier |
| snake | le serpent |
| soup | la soupe |
| sport | le sport |
| staff | le personnel |
| stamp | le timbre |
| star | l'étoile |
| step | le pas |
| storeroom | le magasin |
| stores manager | le chef de magasin |
| story | l'histoire |
| street sweeper | le balayeur (de rues) |
| surgery | le cabinet |
| swimming pool | la piscine |
| take-off | le décollage |
| teacher | le professeur, l'instituteur, l'institutrice |
| team | l'équipe |
| teddy bear | le nounours |
| television | la télévision |
| theatre | le théâtre |
| thief | le voleur, la voleuse |
| thing | la chose |
| tiler | le couvreur |
| tortoise | la tortue |
| town | la ville |
| town hall | la mairie |
| tractor | le tracteur |
| tree | l'arbre |
| truck | le camion |
| valet | le valet |
| vet | le vétérinaire |
| waiter | le serveur |
| waiting room | la salle d'attente |
| waitress | la serveuse |
| wall | le mur |
| water | l'eau |
| weather | le temps |
| weather (forecast) | la météo |
| wedding | le mariage |
| whale | la baleine |
| window | la fenêtre |
| woman | la femme |
| wood | le bois |
| work | le travail |
| worker | l'ouvrier, l'ouvrière |

# French-English  Français-anglais

| Français | Anglais |
|---|---|
| l'acteur | actor |
| l'actrice | actress |
| l'aéroport | airport |
| l'agent de police | police officer |
| l'ambulancier | ambulance officer |
| l'ami, l'amie | friend |
| l'animal | animal |
| l'animal domestique | pet |
| l'anniversaire | birthday |
| l'appareil | machine |
| l'apprenti, l'apprentie | apprentice |
| l'arbre | tree |
| l'architecte | architect |
| l'article | (news) story |
| l'assistant, l'assistante | assistant |
| l'atelier | studio |
| l'avion | plane |
| les bagages | luggage |
| le balayeur (de rues) | street sweeper |
| la baleine | whale |
| le ballet | ballet |
| la banque | bank |
| le bateau | boat |
| le bébé | baby |
| la bibliothèque | library |
| le bois | wood |
| la boisson | drink |
| le boulanger, la boulangère | baker |
| la boulangerie | bakery |
| la brigade de pompiers | fire brigade |
| le bureau | office |
| le cabinet | surgery |
| le cahier | exercise book |
| le caissier, la caissière | cashier |
| le cameraman | cameraman |
| le camion | truck |
| le canard | duck |
| la caserne de pompiers | fire station |
| la chambre | bedroom |
| le champ | field |
| le chat | cat |
| le chauffeur | chauffeur, driver |
| le chef | chef |
| le chef de magasin | stores manager |
| le cheval | horse |
| le chien | dog |
| le chien policier | police dog |
| le chocolat | chocolate |
| le/la chorégraphe | choreographer |
| la chose | thing |
| le client, la cliente | customer |
| le cochon | pig |
| le commissariat | police station |
| le/la concierge | caretaker |
| le conseiller, la conseillère | councillor |
| le copilote | co-pilot |
| le correcteur, la correctrice | proof reader |
| le cours | class, lesson |

|  |  |
|---|---|
| la course | race |
| le couvreur | tiler |
| la cuisine | kitchen |
| le danseur, la danseuse | dancer |
| le décollage | take-off |
| le décorateur, la décoratrice | set designer |
| le déjeuner | lunch |
| le dessin | art |
| le dîner | dinner |
| le directeur | headmaster |
| la directrice | headmistress |
| le docteur, la doctoresse | doctor |
| l'eau | water |
| l'éboueur | dustman |
| l'école | school |
| l'église | church |
| l'égoutier | sewerman |
| l'électricien | electrician |
| l'élève | pupil |
| l'émission | programme |
| l'employé, l'employée | worker |
| l'enfant | child |
| l'entrepreneur | builder |
| l'équipage | crew |
| l'équipe | team |
| l'étoile | star |
| le facteur | postman |
| la factrice | postwoman |
| la farine | flour |
| la femme | woman, wife |
| la femme de chambre | chambermaid |
| la fenêtre | window |
| la ferme | farm |
| le fermier, la fermière | farmer |
| le filet | net |
| la fleur | flower |
| le fruit | fruit |
| le garagiste | garage owner |
| le garçon | boy |
| le gâteau | cake |
| les gens | people |
| la glace | ice, ice cream |
| l'histoire | story |
| l'hôpital | hospital |
| l'hôtel | hotel |
| l'hôtelier, l'hôtelière | hotel manager |
| l'hôtesse de l'air | air hostess |
| l'incendie | fire |
| l'infirmier, l'infirmière | nurse |
| les informations | news |
| l'instituteur, l'institutrice | teacher |
| le jardin public | park |
| le jardinier, la jardinière | gardener |
| le jour | day |
| le journal | newspaper |
| le/la journaliste | reporter, journalist |
| le juge | judge |
| le lapin | rabbit |
| le livre | book |
| le maçon | bricklayer |
| le magasin | shop, storeroom |
| le maire | mayor |
| la mairie | town hall |
| la maison | house |
| le maître d'hôtel | head waiter |
| le marché | market |
| le mariage | wedding |
| le mécanicien | mechanic |
| le mécanicien de bord | flight engineer |
| le menu | menu |
| le menuisier | carpenter |
| la mer | sea |
| la mère | mother |
| la météo | weather (forecast) |
| le métier | job |
| la mode | fashion |
| le monsieur | man |
| le mur | wall |
| la musique | music |
| le nounours | teddy bear |
| les nouvelles | news |
| la nuit | night |
| l'oeuf | egg |
| l'orchestre | orchestra |
| l'ordinateur | computer |
| l'ouvrier, l'ouvrière | worker, labourer |
| le pain | bread |
| la pâtisserie | pastry |
| le pâtissier, la pâtissière | pastry cook |
| la pêche | fishing |
| le pêcheur | fisherman |
| le peintre | painter |
| le perroquet | parrot |
| la personne | person |
| le personnel | staff |
| le/la photographe | photographer |
| le pilote | pilot |
| le pilote de course | racing driver |
| la piscine | swimming pool |
| le plan | plan |
| le plâtrier | plasterer |
| le plombier | plumber |
| le poisson | fish |
| la police | police |
| le policier | policeman, police officer |
| la pompe à essence | petrol pump |
| le pompier | fireman |
| le pompiste | pump attendant |
| la porte | door |
| le portier | doorman |
| la poste | post office |
| la poule | hen |
| le prix | price |
| le producteur, la productrice | producer |
| le professeur | teacher |
| le public | audience |
| le réalisateur, la réalisatrice | director |
| le/la réceptionniste | receptionist |
| le rédacteur, la rédactrice | editor |
| la rédaction | editorial staff |
| le régisseur | farm manager |
| le registre d'appel | register |
| le/la reporter | reporter |
| le restaurant | restaurant |
| la salle d'attente | waiting room |
| la salle de bain | bathroom |
| le sandwich | sandwich |
| la saucisse | sausage |
| le/la scénariste | script writer |
| le/la secrétaire | secretary |
| le serpent | snake |
| le serveur | waiter |
| la serveuse | waitress |
| la soupe | soup |
| le sport | sport |
| la station-service | petrol station |
| le technicien, la technicienne | engineer |
| la télévision | television |
| le temps | weather |
| le théâtre | theatre |
| le timbre | stamp |
| le toit | roof |
| la tortue | tortoise |
| le tracteur | tractor |
| le travail | work |
| l'usine | factory |
| la vache | cow |
| le valet | valet |
| les vêtements | clothes |
| le vétérinaire | vet |
| la ville | town |
| la voiture | car |
| le voleur, la voleuse | thief |